KB103755

너만의 시작을 응원해

오늘도시리즈
25

너만의 시작을 응원해

발 행 | 2024년 1월 29일
공동저자 | 배성빈·신수연·규연(김경은)·초딩김작가(김예서)·상담하는 우우엄마, 김윤주
기획·디자인 | 꽃마리쌤
펴낸이 | 한건희
펴낸곳 | 주식회사 부크크
출판사등록 | 2014.07.15(제2014-16호)
주 소 | 서울 금천구 가산디지털1로 119, A동 305호
전 화 | 1670 - 8316
이메일 | info@bookk.co.kr

ISBN | 979-11-410-6923-0

www.bookk.co.kr

너만의 시작을 응원해

오늘의 작가 5인

배성빈

신수연

규연

초딩김작가

김윤주

작가님들의
다정한 이야기를 담았습니다.

당신의 . 이야기가 . 책이 . 됩니다

쓸수록 힘이 나고,
매일매일 행복해지는
한 줄의 기록

당신의 . 기록이 . 책이 . 됩니다

차
례

말 한마디가 나를 살게 합니다

배성빈

배성빈

×

저는 아이들이 저에게 해 주는 말에서 위
로와 응원을 받고 있어요. 우리도 내 주
변의 사람들에게 용기를 주고 위로를 주
는 말을 많이 하며 살았으면 좋겠습니다.

알고 있어요

　내 학창 시절은 겉으로 보기에는 평범했다. 나는 조용했고 존재감이 없는 아이였다. 집에서는 아무런 문제가 없는 그냥 그런 아이였다. 그러나 내 마음은 바다의 파도처럼 험난했다는 게 문제였다. 아마 가족 중 누구도 나의 힘듦을 몰랐을거다. 그만큼 나는 내 마음을 들키지 않으려 더 조용하게 살았다. 나는 예민한, 소심한, 내성적인, 부끄러움이 많은, 그러나 마음속에는 하고 싶은 일이 아주 많은 열정적인 아이였다. 그래서 더 혼란스러운 시절을 보냈는지도 모른다.

　나에게 필요한 건 조금의 관심도 아닌, 특별한 관심과 사랑이었다. 내게 필요한 걸 받지 못해서 나는 결핍이 생겼다. 어른이 되어서도, 어른이 되지 못한 체 상처받은 아이의 마음을 가지고 살았다. 그 시절 우리 가족은 왜 형편없는 집에서 살아야 하는지 엄마 아빠는 왜 이사를 안 가는 건지 이해할 수 없었다.

나는 그 시절 부모님을 이해하기 전까지 어리석게도 가난한 우리 집을, 부모님을 원망하며 살았다. 나 스스로를 갉아먹으며 하루하루 미련한 삶을 살았었다. 나이 40이 넘어서야 나보다 더 어린 나이에 아이 넷을 키우는 그 시절 엄마 아빠가 보였다. 부모님은 하루 벌어 하루 먹고 살아내는 것만으로도 힘드셨다. 경제, 재테크에 신경 쓸, 아니 관심을 가질 여유가 없으셨다. 그런 것에 무지했다고 보는 게 맞겠다. 제대로 된 직장 없이 하루 벌어 하루 먹고 살아야 하는 부모님에게 육아는 당연히 뒷전이었을 거다. 부모님의 지금 성격으로 봐서 두 분 다 우리들과 잘 놀아 주셨을 것 같지도 않다. (두 분 다 무뚝뚝하심, 실제로도 부모님과 논 기억이 없다) 아마 다정한 말 한마디 없으셨을 거다. 엄마와 어릴 적 이야기를 하면서 알게 된 부분이기도 하다. 엄마 혼자서 4명의 아이를 돌본다는 것은 굉장히 힘든 일이셨을 거다.

엄마의 말씀으로는 우리가 알아서 컸다. 말도 잘 듣고 말썽도 안 부리고 컸다고 한다. (엄마의 기억의 오류가 아닐까? 안 힘들었다니 말도 안돼) 4명의 아이를 씻기고 재우고 먹이고 이것만 해도 하루가 모자랐을 것 같다. (4남매 모두 2살차이) 그 시절에는 도시락을 싸 가지고 다녔으니 매일 아침 등교 준비도 도와줘야 하고 도시락도 챙겨줘야 하고.

아, 내가 그 시절 네 아이의 엄마였다면? 나는 아마 그 집에서 사라져버리고 싶었을 거다.

나는 지금 두 아이의 엄마가 되었다. 육아는 처음부터 쉽지 않았고 언제나, 여전히 어렵다. 나는 엄마에게 우리 넷을 어떻게 키우셨냐고 자주 묻는다. 힘들지 않으셨냐고, 나는 아이 둘 키우기도 힘든데 넷을 키워내셨다는 것은 굉장한 일이라고 말씀드렸다.

이제라도 부모님을 이해할 수 있게 됐고 어렸을 때 내 마음을, 지금의 내 마음을, 그때 엄마 아빠 왜 그랬어요? 하고 가볍게 이야기할 수 있게 돼서 얼마나 다행인지 모른다.

아빠 왜 우리 생일 한번도 안 챙겨 줬어요? 선물도 안 주고 생일 축하한다는 말도 안해주고.
아빠! 엄마 생일도 안 챙겨 준 건 너무 한거 아니예요?
엄마 아빠 왜 우리랑 놀아주지 않았어요?
엄마 우리는 왜 우리 가족은 놀러 간 기억이 없어?

내가 왜 그랬냐고 부모님께 질문할 때마다 미안해하신다. 그만큼 부모님은 착하고 순박하신 분들이다. 아이를 어떻게 키워야 하는지 잘 몰라서, 그 시대가 살기 힘든 시기여서, 먹고살기만도 바쁘고 힘들어서 그러셨을 뿐이다.
이제 괜찮아요. 저도 다 알고 있어요. 그 시절 엄마 아빠의 마음을.

다르니까 사람입니다

내게는 10살, 8살 두 딸아이가 있다. 첫째는 어린 시절 나와 조금 비슷한 면이 있다. 조금 예민하고 낯가림이 있는 부분이 비슷하다. (내향적인 면 빼고는 나보다 훨씬 강한 아이다) 나는 첫째를 키울 때 모든 아기들이 잠을 잘 안 자는 줄 알았다. 한번 잠들면 쭉 자는 게 아니라 원래 아기들은 자주 깨는 줄 알았다. (둘째가 태어나고 잠을 아주 잘 자는 아기도 있다는 걸 알게 됐다) 아주 어릴 적에는 낯가림이 심해서 길을 걷다가 사람들이 걸어오면 무서워서 울었다. 자주 가는 친정집에도 4살이 될 때까지 매일 울면서 들어갔다.

첫째는 집안의 온갖 물건을 다 꺼내 놓고 놀았다. 하루 종일 집안 이곳저곳을 탐험하며 놀았다. 하지만 겁이 많아 위험한 행동은 잘 하지 않았다. 첫째는 상상을 많이 하는 아이였고 엉뚱한 행동을 많이 했다. 그런 첫째는 커가면서 하루가 다르게 변했다. 단단한 아이로 성장하고 있다. 생각보다 단체생활에 적응도 잘 했다.

뭐든 시작하면 꾸준히 열심히 하는 강점을 가지고 있다. 여전히 쑥스러움이 많아 자신을 표현하는 것이 조금은 서툴다. 칭찬을 해 주면 부끄러워하고 딴 이야기를 한다. 하지만 누구보다도 부모를 사랑하고, 부모의 사랑을 원하고 있는 아이라는 걸 알고 있다. 나는 내가 어릴 적 느꼈던 외로움을 아이가 느끼지 않게 아이에게 많은 사랑을 주며 키우고 있다.

둘째를 키우는 일은 편안했다. 이런 아이라면 10명이라도 키울 수 있다고 생각했다. 50일부터 스스로 통잠을 자고 한번 자면 아침까지 잘 잤다. 누워서 노는 걸 좋아했고 잘 웃었다. 그런데 조금 커가며 아이는 호기심이 많아지고 모험심이 강해졌다. 높은 곳에 올라가고 떨어지고를 반복했다. 자신이 원하는 게 이루어 지지 않으면 길바닥에 누워 자지러지게 운 적도 있다. 걸어 다니면서부터 놀이터 곳곳을 누비고 다녔다. (10명도 키울 수 있다는 말 취소)

언니가 하는 건 뭐든지 똑같이 해야 했고, 어떤 일이든 될 때까지 연습했다. 말을 예쁘게 잘한다. 나를 도와주는 일을 즐기고 나를 걱정해 주는 말을 많이 한다. 그 마음이 예쁘다. 자신의 감정을 말로 그림으로 편지로 잘 표현하는 아이다. (3명 정도까지는 키울 수 있겠다)

이렇게 두 아이는 많이 다르다. (이 세상에 같은 성격을 가진 사람은 단 한 사람도 없을 테지만) 달라서 함께 사는 게 재밌는지도 모르겠다.

아이들은 내게 편지와 선물을 자주 준다. 나는 아이들에게 매일 사랑고백을 받는 행복한 사람이다.

아이들이 나를 생각해서 하는 말인지는 모르겠지만 아이들 이야기를 듣고 깜짝 놀란 적이 많다.
'어머, 애들이 어떻게 이런 이야기를 하지?'

아이들의 말이 내가 살아가는데 큰 힘이 된다. 나보다 작고 여린 아이들에게서 누구에게도 받을 수 없는 사랑을 받고 있다. 나는 아이들의 말과 행동으로부터 위로를 받고 감동한다.

내 아이들은 하늘이 나에게 **사랑이란 이런 거야 너도 이런 사랑을 받을 자격이 있어** 하며 내려 주신 천사들이 아닌가 싶다.

나는 아이들이 말을 하기 시작했을 때부터 아이들이 한 말을 기록해오고 있다. (여전히 진행 중) 나중에 아이들이 크면 그 말들을 모아 책으로 내 줄 생각이다. 이번 책에는 그간 모아두었던 말기록 중 몇 개를 써보려 한다. 생각만 해도 미소가 지어진다. 말이 주는 힘이 이렇게 크다는 걸 다시 한번 느낀다.

나는 샤워를 하고 나와서 로션을 바르고 있었다. 로션을 얼굴에 막 바르고 있는데 둘째가 나를 보더니 말한다.

"우아! 엄마 로션 진짜 잘 바른다. 이렇게 이렇게 바르는 거 진짜 멋지다."

나는 내가 로션을 어떻게 발랐는지 생각해 봤다. 내가 로션을 어떻게 발랐더라? 뭐 좀 특이하게 발랐나? 어떻게 바르는 게 잘 바르는 거지? 살면서 로션 잘 바른다는 칭찬은 처음 받아봤다. 앞으로도 평생 이 일로 칭찬받을 일은 없을듯하다. 어디 가서 로션 바르는 일로 칭찬을 받을 수 있을까?

내가 뭘 특별히 잘 해서가 아니라 그냥 원래 내 모습을 칭찬해 주는 아이가 고맙고 사랑스럽다.

병원에 가야 할 일이 있어서 아이들을 친정집에 맡겼다. 집에서 아침을 안 먹고 가서 너무 배가 고파 된장국에 밥 말아서 허겁지겁 먹고 있었다. 그런 나를 보고 엄마는 천천히 먹으라고 했고 둘째는 이렇게 말했다.

"와!! 엄마 밥 진짜 잘 먹는다!"

둘째는 누군가 어떤 걸 조금이라도 잘하면 칭찬을 잘 해 준다. '진짜 잘 한다'는 말을 자주 한다. 어른이 되고 나서 칭찬받을 일이 거의 없었는데 아이에게라도 칭찬을 받으니 기분이 좋다. 이렇게 사소한 일에 칭찬받는 것도 기분이 좋은데 아이들은 어른들에게 칭찬을 받으면 얼마나 기분이 좋을까? 못하는 일 혼내는 것 말고 작은 일이라도 잘 하는 걸 많이 칭찬해 주자. 내가 칭찬받아보니 아이들 마음이 어떨지 알 것 같다.

나는 꿈과 현실이 구분이 되지 않던 때가 있었다. 어렵게 잠이
들면 그때부터 꿈을 꾼다. 꿈의 내용은 모두 고통스럽고 괴롭고
힘들고 아프고 슬프고 무섭다. 밤새 악몽이 계속된다. 어떤 날은
칼을 든 사람이 내 옆에 서 있다. 또 어떤 날은 사고가 나서 죽는
다. 어떤 날은 누군가 나를 계속 뒤쫓는다. 나는 도망치고 숨고
또 도망친다. 아이를 잃어버려 못 찾는 꿈을 꾸는 날은 미칠 것
같았다. 악몽을 계속 꾸니 밤새 한숨도 잘 수가 없었다. 잠을 자
는 게 무서웠다. 나는 꿈과 현실이 구분이 되지 않았다. 내가 지
금 깨어 있는 건지 꿈속인 건지. 꿈속에서 일어났던 일이 현실
인 줄 알았다. 한달을 그렇게 보냈다. 도저히 살 수가 없었다. 머
리가 멍하고 정신이 혼미했다. 하루하루 살아가는 게 힘들었다.
사람이 잠을 못 자면 죽을 수도 있겠다는 생각을 처음으로 했다.
내 상태가 정상이 아님을 깨달았다. 나는 하루라도 푹 자고 싶어
서 병원에 갔다.

엄마 무섭지 않게 드림캐쳐

악몽을 자주 꾸는 나에게 아이가 주는 선물이다. 고마워.

자기 전에 둘째가 펑펑 울었던 날이 있다.

내가 먹고 싶어 하는 미역국 끓여 주지도 않고, 떡국 시켜주고, 엄마가 해 주는 음식 먹고 싶었는데, 예나 언니만 스파게티 해주고, 책도 안 읽어 주고, 자기 전에 맨날 책 봤는데, 나랑은 놀아주지도 않고 아진이(조카)랑만 놀아주고, 엄마랑 맨날 잠도 같이 못 자고, 간식도 못 먹게 하고.

아이고 채아야, 진짜 많이 서운했겠다. 서운한 게 그렇게 많았어? 엄마가 몰랐어. 미안해. 서운한 게 있으면 지금처럼 다 말해. 알겠지? 얘기 안해주면 엄마가 몰라.

많이 서운했구나. 미안해. 다행히 자기 전에 서운한 마음 다 풀고 기분 좋게 잠들었다. 서운하고 화난 감정을 이렇게 다 말해주니 정말 고맙고 좋다. 우리 안 좋은 감정 혼자만 끙끙 앓지 말고 표현하고 살자.

자려고 누웠는데 둘째가 온다. 내 귀에 손을 대고 작게 속삭인다.

엄마 요리도 해 주고, 머리도 말려주고
양치도 도와줘서 고맙습니다.
그리고 이건 좀 웃길 거예요. 응가도 닦아줘서 고맙습니다.
그리고 엄마 배도 빨리 나아요.
엄마 사랑해요.

이렇게 사랑스러운 아이를 어떻게 사랑하지 않을 수 있는가? 나는 아이가 해 주는 말에서 위로를 받고 살아갈 힘을 얻는다.

독자 여러분, 당신의 말 한마디가 주변 사람에게 살아갈 수 있는 힘을 주는 말이 될 수도 있다고 한번 생각 해 보라. 당신의 이야기를 듣고 누군가 힘을 얻고, 용기를 얻는 다면 그때 당신의 마음은 어떨까?

지금 생각해보면

신 수 연

신수연

×

그때는 몰랐다.
겪어야 알게 된다.

모르면서 견뎌내는 것과
알면서 견뎌내는 건 다르다.

최소 10년은 해야 전문가라고 할 수 있다고 한다.

그래서 다시
10년 할 생각으로 무언가를 계속 시도하고 있다.

다 만족되는 곳은 없어.

졸업하자마자 면허도 나오기 전에 선택했던 검진센터 입사.

어떤 곳인지 알지 못했다. 신문에 난 채용 광고를 보았다.

큰 종학병원급 외에는 알기가 어려웠다. 거기다 대학병원이든 큰 병원은 아는 사람, 소위 빽(!)이 있어야 한다고 했다. 내 성격에 주위 친구들 몇 외엔 연락하는 선배가 있었던 것도 아니었고, 교수님께 찾아가 살갑게 얘기를 하는 것도 아니었기에 혼자서 판단했다. 일단 들어가고 보자. 내가 큰 병원에 입사한다는 보장도 없고 생초보이니 이것저것 가릴 처지는 아니라고 생각했다.

원래 있었던 곳에서 새로운 곳으로 이전을 막 한 곳이라 건물이며 내부 시설은 깨끗했고, 주위에 관공서며 회사 빌딩들 사이에 있었던 또 하나의 빌딩이라 회사원이 된 기분으로 출퇴근을 했다.

내가 속한 부서원들은 같은 학교 선배들인데다 한명 한명 다 좋았다. 부산 내에 협약된 업체 직원들의 단체 검진 및 종합검진을 하는 곳이었다.

부모님께 처음으로 종합검진을 시켜드리기도 했다.

시간이 조금씩 지나니 졸업 동기들의 취업 얘기들이 들렸다.

다들 준종합병원 이상으로 들어갔고, 직장생활이 어떤지 얘기를 듣다 보니 무언가 위축되는 기분도 들었다. 검진센터에서의 경력과 종합병원의 경력은 다르게 평가된다는 것을 알게 되었다. 하는 일의 범위부터 달랐다.

거기다 직장 내 소문이 나를 더 불안하게 했다. 이전하기 전에 비해 지가가 높았던 곳이라 투자비용이 많이 들었다고도 했고, 그래서인지 월급이 늦게 나오기도 했다.

물론 월급이 많지도 않았다. 급여 관해서는 정말 할 말이 없다. 부모님도 놀라셨다. 병원에 일하는 의사를 제외한 사람들의 월급이 그 정도 밖에 안된다는 걸. 고등학교 때 알았으면 이 과를 선택했을까.

신입에게 어떤 기준이란 게 있었겠냐 만은 같이 입사한 동생도, 내 바로 위 선배도 흔들렸다. 각자 다른 이유로.

팀장급 되는 선배들은 몰아붙이지 않았다. 대학병원에서 일하다 나온 선배도 있었다. 선배다운 얘기를 해 주었다. 지금도 기억하는 것..

"다른 곳으로 가고 싶으면 가도 좋다. 생각은 해야한다.

간단히 근무 조건, 급여, 같이 일하는 사람 3가지 기준으로 본다면, 다 만족되는곳은 없어. 조건이 조금 안 좋은, 다른 건 좋아도 급여가 작든, 아니면 누군가 힘들게 하는 사람이 꼭 있어."

여기에 있으면 좋은 점도 같이 얘기해 주었다.

좋은 점이 진짜 좋은 건지 판단이 서는 때도 아니었다.

그렇게 그곳을 8개월 만에 나오게 되었다. 나가야겠다고 마음먹었으니까.

지금 생각하면 계속 있어도 나쁘지 않았는데 싶다.

시간이 지나 규모는 더 커졌고 지역검진센터로 자리를 잡아간 곳이었다.

그 선배들은 여전히 계셨고, 또 다르게 성장해 있었다.

운이 좋았다.

후반기 4개월 정도를 면접 보러 다니는 데 보냈다.
대학병원이나 대형 종합병원급으로 무조건 들어가겠다는 한 가지만 생각
했다.
나이 어린 지금이 아니면 큰 병원에 들어가기 어렵다고 들었다.
그때 방사선과 4년제는 흔하지 않았고, 성적도 괜찮았다.
그렇다고 다른 분야의 취직을 위한 스펙준비 와는 비교할 수 없지만.
서울이든 다른 지역이든 구인이 뜨면 서류를 넣고 면접을 보러 갔다.
면접 보러 오라며 연락은 잘 왔다.
서울에 큰 병원 구경은 다 한 것 같다. 병원마다 분위기가 달랐다.
면접 때 물어보는 질문이나 시험도 다양했다.
어설픈 영어소개나 답변도 준비했다.
내정자가 있는 것도 느껴졌고, 심사하시는 분들의 표정도 다 달랐다.

면접 질문 중에 내 마음에 하나 꽂혀있는 질문.
"4년제를 나왔는데 3년제 사람들과 다른게 무엇이라고 생각하는가."

그때는 어느 병원이든 이미 자리 잡고 있는 나이가 있으신 분들은 다 3년
제나 전문대 출신이었다. 시간이 지나다 보면 일은 똑같이 하게 되니 중요하
지 않을 수도 있지만 생각나는 데로 대답을 이어갔다. 어떻게 들렸을지는
모르겠다.
지금 생각해보면 무언가 정리되지 않은 상태로 막 다녔던 기분이다.

그래도 결국은 대학병원에 입사를 하게 되었다.
내가 들어가기 전이나 후에도 한동안 입사하는 사람들은 다 남자였기에.
나는 운이 좋았다.

내 집이라는 거.

서울 쪽의 병원으로 면접을 보러 다닐 때 친척집, 사촌집이며, 친구집을 찾아가 하루를 묵었다.

한 친척집은 잘 사는 동네에 뉴스로 듣던 그런 아파트였다. 초등학생 아이가 두명이 있는데 큰애는 외국에 나가 있어서 방 여유가 있다며 이틀 자게 해주셨다. 작은 아이는 스케줄이 또 남달랐다. 영어공부며 수영이며, 반 친구 생일파티 준비도 스케일이 달랐다. 친척분과 하루를 같이 보내며 어떻게 일상을 보내는지 조금 알게 되었다. 내부가 차단된, 아무나 들어갈 수 없는 그런 분위기였다.

나와 동갑인 사촌집에도 들렀었다. 말로만 듣던 반지하에 세들어 살고 있었다. 일을 하고 있었기에 퇴근 시간 맞춰 만나서 들어갔다. 날 위해 먹을 걸 사서 왔다. 소소하면서도 사촌의 따뜻한 맘이 느껴졌다. 이런 집이라도 있으니 마음 놓고 쉴 수 있구나 싶다가도 화장실의 창문으로 바로 보이는 사람들의 지나가는 발들을 보면 불안하기도 했다.

또 다른 언니네 집에 하루를 묵은 적이 있다. 그의 부모님이 구해주신 아파트였다. 출퇴근으로 바쁜 일상을 보내느라 집이 조금 청소가 되어 있지는 않았다. 한편으로는 직장에서의 진급 시험 준비로 나의 존재를 조금 불편하게 생각하는 듯 했다. 엄마를 통해 들은 얘기였다.

부모님과 사는 집을 떠나 나 홀로 시간을 보낼 내 집이 있다는 건 참 감사한 일인 것 같다.

다시 생각해봐도 집의 의미란 나에게 가볍지 않다.

덕분에 잘 배웠다.

대학병원에서의 생활은 참 쉽지 않았다.

모든 걸 다 배워야 하는 입장에다 능숙해지기까지 체력적으로, 정신적으로 견뎌내야 버틸 수 있었다. 남자들조차도 윗 선임들의 거친 말들에 견디지 못하고 나가는 사람이 많았다. "태움"이란게 있는 건 아니었다. 부서의 특성상 남자직원이 많은데다 나이 많은 실장님들의 비위도 눈칫껏 맞춰서 행동해야 했다. 군대를 가보지 않았지만 서열있는 군대처럼.

유독 심하게 다그치는 선임이 한 분 있었다. 작은 실수라도 할 때면 조마조마 했다. 예상치 못한 말들을 들었고, 괜한 자존심 상하게 하는 말들에 화장실 가서 눈물 빼고 올 때도 있었다.

챙겨주는 중간급 선배들이 있다. 거친 단어를 사용해가며 혼내는 소리를 옆에서 듣는 것이 기분 좋을 리가 없다. 안돼 보였는지 검사하는 방법이나 환자 대하는 요령 등 팁들을 알려주었다.

술 먹는 일도 잦았다. 대학병원의 영상의학과 내에 부서가 많다 보니 부서마다 선배들이 부르기도 했고, 계약직이라 무언가 암묵적으로 거절은 하면 안되는 걸로 되어 있었다. 정직이 되기 전까지 눈 밖에 나면 안된다는.

쉽게 포기할 수는 없었다. 일단은 잘하고 봐야 한다 싶어서 열심히 다녔다. 3개월쯤 되었을 때 다들 빨리 배운 편이라며 잘한다고 칭찬을 해 주었다. 그 선임만 빼고다. 잘했음에도 뭐 하나라도 트집 잡아 큰소리를 쳤다. 한편으로는 이 분 때문에 어떻게 계속 다니나 밤마다 한참 고민했다. 그 전 신입들도 3개월을 못채우고 나가는 이유였다.

그러다가 갑자기 평생 계실 거 같던 그 분이 대학교수를 하게 되어 그만두고 나가시게 되었다. 그 순간만큼은 하늘이 나를 도와준 느낌이었다.

3년을 계약직으로 무사히 다녔다. 정직이 되게 할 나의 "빽!"은 없었다. 물론 나의 능력이 그 정도였는지도 모른다. 그렇게 계약직으로 있다가 나가는 사람이 다수였고, 들어오려는 신입은 많았다.

지금 생각해보면 거친 말을 듣기는 했지만, 그 덕분에 혼나지 않으려고 더 빨리 배울 수 있었고, 작은 거라도 트집을 잡았기에 대충 넘기는 거 없이 잘 배울 수 있었다.
그렇게 내 경력에 대학병원 한 줄 넣을 수 있었다.

지금은 분위기가 달라졌을거다.
누군가 물어본다면 급여나 근무 조건 등 좋은 건 사실이니 버틸 수 있다면 버티라고 할 거다. 시간이 지나면 어느새 휘둘리지 않아도 될 선임이 되어 있을테니.

기숙사 생활

그 다음 들어가게 된 대형 한방병원.

서울에서 이미 유명했고 부산에도 개원을 하게 되어 오픈 멤버로 들어가게 되었다. 개원하기 전 2달을 서울 강남본원에서 다 같이 교육을 받았다.

방사선사 7명이었고 경력은 다 달랐다.

기숙사 생활은 그때가 처음이었다. 무언가 부모님의 통제에서 벗어나 있는 느낌이 좋았다. 퇴근 후 저녁이면 강남 거리를 촌스러움 날리는 편한 복장으로 나와구경 다녔다. 기숙사 생활하던 다른 부서 사람들도 친해졌다. 같이 저녁을 먹기도 했고 바에 가서 한 잔 분위기도 잡아보았고, 약속이 없으면 예쁜 까페를 찾아 차를 마시기도 하며 혼자 시간을 보내기도 했다.

1월이라 추운 겨울, 부산에서 보지 못했던 눈도 많이 보았다.

근처 PT 센터도 등록해서 운동을 다녔다. 목욕탕을 찾아 주말에는 목욕을 하러 갔다. 독립을 하면 이런 기분일까.

신입은 아니었기에 교육을 받는 것도 어렵지는 않았다. 병원마다 검사 스타일이 다르기는 했고, 여기는 여기 방식대로 하기를 원했다. 시스템이 갖춰져 있어서 고민할 건 없었다. 그대로 하면 되니.

같이 입사하게 된 남자 팀원들이랑도 친해졌다. 서로 소소하게 챙겨주는 거에 감동하며 앞으로의 직장생활을 기대했다.

신입은 벗어났지만 그럼에도 신입의 마음이었을까.

새로 시작하는 그때의 내 기분은 온통 핑크빛.

사람과 사람 사이.

교육을 받을 때까지는 참 좋았다.
여자 팀원들끼리도, 남자 팀원들과도 서로 성격 좋은 사람으로 생각했다.
나도 그게 다인 줄 알았다.
부산에 내려와 오픈 준비를 하면서 각자의 경력에 따라 다른 시각으로 의견 충돌이 일어나기 시작했다.
똑같은 검사에 있어서도 서로 자기가 알고 있는 방법이 맞고 다른 사람의 방법이 잘못되었다고 얘기하기 시작했다. 같이 의논해서 내린 팀장의 결정에도 불만을 가지는 팀원도 생겨났다.
예전 막내로만 있을 때는 생각하지 못했다.
인원 수 만큼 배로 서로를 이해해야 했고, 참고 넘기기도 해야 했다. 그래야 무난히 하루하루 보낼 수 있었다.
주어진 일 또는 그 이상의 일을 해내기도 사실 바빴다. 그 와중에도 관계에서 일어나는 일로 시간이나 감정을 소모했다. 각자 스타일대로.

시간이 지나 3년, 4년이 지나면서 서로 살아온 삶이나 사적인 감정들을 알게 되면서 이해하는 부분이 생겼다. 처음보다는 무탈히 지나갔고, 서로를 인정했다. 나타나는 반응들에도 당연하게 받아들였다.

그저 친한 사이로 지내는 것과 직장에서 일로써의 관계는 정말 다르다는 걸 그때 느꼈다. 처음 잘 모를 때에는 작은 행동도 참 센스있다 생각했는데, 일에 있어서 융통성이 없게도 느껴졌고, 생각하는 방향이 정말 다 달랐다.

모든 면에서 다 잘 맞는 사람은 사실 없다.
조용할 날 없는 하루하루를 보내며 그렇게 10년을 보냈다.

출산으로 인한 육아휴직 외엔 정말 쉬었던 적이 없다.

굵은 경력 사이에 짧게 개인병원도 다녔었고, 문을 닫게 되어 나오게 된 병원도 있었다. 옮길 때마다 새로운 일을 배웠다.

병원 외에 방사선사가 아닌 일도 시도했었다. 예상 밖의 아르바이트도 했다. 17년차가 넘었다.

무언가 이 분야에 대해 다 안다고 할 수는 없지만 무엇을 하든 어느 만큼 정성을 들이느냐에 따라 시간이 지났을 때 그 사람이 어떻게 달라져 있을지는 조금 보이는 것 같다.

다른 건 모르겠고 방사선사로서 내가 잘해야만 하는 일에 관해서는 자신이 없지는 않다. CT나 MRI 뿐만 아니라 X-RAY검사 영상 조차도 다른 병원에 들고 가서 그 영상의학 부서든 의사가 보더라도 잘 찍은 영상이라고 얘기할 정도는 해야 한다고 생각한다. 대충 흉내내서 검사하면서 방사선사라고 얘기하는 사람들을 보면 내가 부끄러웠다.

누군가 그랬다. 최소 그 분야에 대한 공부와 연구에 10년은 투자해야 전문가라고 할 수 있다고. 전문가라고 하기도 애매하지만 결국 내가 지금 젤 잘하는 건 이 일이니까. 거친 말을 들어가며 배웠지만 그래서 더 하나하나 세심하게 신경쓰면서 터득했던 거 같다.

지금 일하는 병원의 같은 부서에는 이번 해에 졸업하고 입사해서 일하고 있는 팀원이 있다. 내가 신입이었을 때 병원의 안 좋은 면들에 흔들렸던 것처럼 그녀 역시 다른 병원에 가면 더 낫지 않을까 하는 생각으로 늘 마음 한구석엔 퇴사 생각을 가지고 있었다.

나는 그랬다.

다른 곳으로 가도 상관은 없다. 다만 여기에서 하는 일에 관해서는 잘한다는 소리 들을 정도는 만들어서 가면 좋지 않냐 했다.

지금 생각해보니 정말 나를 힘들게 하는 사람 한 명은 꼭 있었고, 근무 조건이나 환경 또한 다 만족되었던 적은 없었다. 더 나은 곳을 가더라도 나를 힘들게 하는 무언가는 꼭 있을거라는 거다.

예전에는 힘든 것만 생각했었다면 지금은 좋은 면을 생각하며 나를 어떻게 발전시킬지 생각을 돌린다.

머무름이 남긴 흔적

규연 (김경은)

규연(김경은)

×

우리가 흔히 스쳐 지나갈 수도 있는 순간에
잠시 머무르다 보면 그동안 보지 못했던 것
들이 눈에 들어오고
그런 사소한 것들에 몰입하고 더 깊이 생각
해 볼 수 있게 되기에
"머무름이 남긴 흔적"은 나에게 그런 순간의
의미가 되었다.

머무름

머무름의 아름다움을
사람들은 잘 알지 못하는 것 같다.

그곳에서만 만날 수 있는 모습과
그곳에서만 느낄 수 있는 분위기는
그 어떤 장소도 흉내 내지 못한다.

같은 장소, 같은 자리라 할지라도
그날의 형상과 그 시간의 풍경은
다시는 찾아볼 수 없는 것이다.

그렇기에
너무나도 한순간이기에
다시 돌이킬 수 없기에

지금 머무르는 이 순간, 이 시간이
아름다울 수밖에 없다.

머무름의 흔적

처음

처음은 항상 어렵다

처음 숨을 쉴 때
처음 걸을 때
처음 배울 때 모두
마냥 쉽지만은 않았을 것이다.

그렇기에 이는 끝없는 도전,
그렇기에 이는 더욱 값진 것.

성공은 예쁜 꽃을 따서 만든 꽃다발이라면
처음은 예쁜 꽃을 어렵게 찾아 펜 작은 한 송이의 꽃.

가공한 꽃의 아름다움과 홀리는 듯한 향기는
그 나름대로 부정할 수 없는 것이지만

직접 찾아 따온 수고스러움과
그를 보상하는 듯 매력 있는 꽃의 모습은
의미있는 가치의 본모습일 것이다.

매일을, 매 순간을
처음처럼 느끼고 생각해보는 것은
진정한 유의미함의 시작이다.

추억

모든 사람들은 하나씩 바구니를 가지고 있다.

바구니 안에는 향긋하고 아름다운 조각과
씁쓸하고 아픈 조각들이 뒤엉켜 빛나고

모양도, 빛깔도 다양한 조각들은
매 순간 생겨나며 바구니를 채워나간다.

뭐가 그리 서러웠는지 피아노 밑에 앉아 펑펑 울던
4살배기 아이의 모습

내 인생을 뒤흔들어놓은 첫사랑.
소소한 하루하루가 조각이 되어 쌓여가고

어느새 돌아보니 지나온 길목에 떨어뜨린 조각들은
하나둘 정리하기 시작해 본다.

그렇게 조각들을 정리하던 손이 쓸고 간 자리에 남은
두 글자, 추억.

아주 작은 조각이라 할지라도
바구니를 채워주는 빛나는 추억일 테니

우리는 그 작은 순간을 떠올리며, 희망하며
추억 속에 살아간다.

제자리

오늘은 유난히 어깨가 더 무거웠다
늘 그래왔듯 잡동사니 가득 쌓인 가방을 메면서도
오늘따라 더 보이지 않는 짐을 스스로 쥐고 있는 건지

아니면 마음이 스스로 쓰레기를 주워 담고 있는 건지
가방 안 투명 모래주머니는 쌓여만 가는 듯하다.

오늘은
혀끝에 퍼지는 쌉쌀한 녹차의 맛과
벼랑 끝에 퍼지는 씁쓸한 한숨의 소리가
참으로 잘 어울리는 날이다.

내가 고개를 돌린다고
햇빛이 날 비추는 걸 멈추진 않는다.

그러나 그와 맞서겠다 하여 눈을 쳐다보면
나의 눈이 아릴 정도로 매섭게 노려본다.

횡단보도 앞 신호에 걸렸다.

잠시 눈을 감고 짐을 내려놓는다.

이 잠깐의 시간이 지나면 조금 나아지려나
희망을 걸어본다.

그러나 변하는 건
횡단보도의 신호뿐이었다.

별 명

오늘은 달이 참 예쁘게 떴다

별도 달도 뿌옇게 흐린 세상이 답답했는지
숨이 탁 트인 하늘에 얼굴을 들이밀었다.

그러고는
자신의 모습을 기억하라는 듯
점점 더 뚜렷하게 반짝임을 내보였다.

이 뿌옇게 흐린 세상 뒤에는
늘 빛나고 있었을 텐데
이제야 보이는구나.

우연하게 하늘이 열린 날에,
그저 어느 우연한 날에,
아무 생각 없이 하늘을 올려다봤을 때
그제야 눈을 마주칠 수 있었다.

그렇게 별과 달의 모습은 나에게
숨 가쁘게 스쳐가듯 흘러온 지난날의 고됨 사이
꽤나 빛나는 쉬는 시간을 만들어 주었다.

항해

배는 항상 흔들린다
겉으로 고요해 보이는 바다는
늘 울렁이는 마음을 숨기고 산다.

고달픈 선원들은 바다의 마음이 흔들리는 대로 흘러가고
고향 생각도 흘러가면 흘러갈수록 몰아친다.

바다의 투정은 날이 갈수록 심해지고
선원들의 항해도 나날이 길어진다.

바다의 기분이 온전한 날엔 환호성을,
바다의 마음이 상하기라도 한 날엔 비명을,
하늘마저 노한 날엔 생명의 저울이 기울어지는 순간들도 찾아오지만
그들은 그저 앞으로 나아갈 뿐이다.

그들 앞의 파도는 멈출 기미도 보이지 않고
결국 바다의 억센 마음에 이기지 못해
다다른 삭막한 모서리에서야 쉬어갈 것이다.

소망합니다

그만 미지근하게 식어버린 커피에
연연해하지 않기를,

티끌 하나 없이 소복이 쌓인 눈
한가운데 어지러이 찍힌 발자국에
아쉬워하지 않기를,

날카롭게 깎다 이내 부러져버린 연필심에
아까워하지 않기를,

이제는 멀리 떠나간 인연에,
또는 우연에,
또는 운명에,
더 손 내밀지 않기를.

4:00 P,M

구름 한 점 없는 새파란 하늘과

저 멀리 키다리 나무 한 그루마저
선명하게 보이는 신선하고 맑은 공기와

머리칼이 살짝 흩날릴 정도의
살랑이는 바람과

골목을 여유로이 지나가는
길고양이 두 마리와

어디선가 들려오는 참새 가족의 지저귐과

발이 닿는 곳을 따라 흘러가는
목적지 없는 산책.

이 순간이야말로
느긋하고 따사로운 어느 주말 오후의
평화로운 여유가 주는 마음 한편의 위안.

풀꽃반지

풀꽃반지
기억 가운데 희미한 반짝임.

어릴 적에, 어른과 걸음걸이가
하나도 맞지 않을 정도의 꼬꼬마 시절에

어떤 부드러운 어른이 내 손에
엮어주었던 풀꽃반지

누구인지 기억조차 나지 않던
그때 그 포근했던 손길은

내 안의 작은 꼬마가
아주 선명히도 기억하고 있다.

내가 다시 엮어보아도
그때의 포근함은 느낄 수가 없다.

길가에 콕콕 박힌 풀꽃이 눈에 비칠 때면
내 안의 작은 꼬마는
반갑다는 듯 뛰어나온다.

아련함과 함께.

무표정

한 손엔 커피와 다른 한 손엔 노트북 가방이 들린 채
익숙한 듯 제 갈 길 찾아서 걷는 사람들과

이래저래 잔소리로 얼룩진 교복에
물에 젖은 솜처럼 잔뜩 무거운 가방을 멘 학생들

그들이 받아 쥐고 있는 자리의 무게감은
다른 누구도 가늠할 길이 없다.

송이송이 맺힌 빗방울 틈새로
같은 표정을 한 그들이 지나간다.

그 무슨 감정도 읽히지 않고
자기 색을 잃어버린 그런 표정

누구나 처음 지내보는 기나긴 시간이지만
그 속의 고단함이 그들의 얼굴에
나지막이 그려진다.

모두가 피곤에 지친 기색에 물들어
하늘도 그 빛을 잃어가고
어릴 적 보았던 그 세상의 선명함은
어느샌가 잿빛으로 변색되어 있었다.

푸름

산과 바다, 그 둘은
각기 다른 푸름을 품고 있다.

산의 푸름은
싱그럽고도 포근한 푸름,

그 안의 고운 산새 소리와 숲 내음은
엄마의 향기가 나는 품속에서
자장가를 불러주던 어머니의 마음.

바다의 푸름은
단단하면서도 깊은 푸름,

그 안의 시원하고도 오묘한 바닷바람의 향기와
배경에 깔리는 편안한 파도 소리는
무심하면서도 따뜻했던 아버지의 마음.

그리고 그 둘의 푸름을
만끽하며 지냈던 나의 파란은

어느새 그들의 푸름을 닮아가며
더욱더 진해진다.

손편지

내 진심을 가장 진실되게, 꾸밈없이
그대로를 전할 수 있는 방법.

누구나, 아무렇게나 쓸 수 있지만
모두가 그 순간에는 스스로에게도 솔직해지기로 한다.

정성과 마음이 한가득 들어간 이 종이를
또 한 번 정성스레 봉투에 접어넣고

그 누군가에게 건네주는 것마저도
허투루 하지 않고 섬세하게 생각한다면

나의 진심이 담긴 종이는 그 누군가를
부드럽게 감싸 안아
비로소 나의 진심을 깨닫게 해주는

우리 모두가 할 수 있는
있는 그대로를 담은 정겨운 방법.

마무리

언제나 마지막이 주는 두려움은 피할 수가 없다.

시의 끝말을 맺기까지는 아주 오랜 머무름이 필요하다.
그렇기에 항상 긴 시간 끝에 매듭지은 그 한 줄이
사람들의 마음에 한 가닥이라도 남았으면 하는 바람이 들곤 한다.

시작은 의문으로 사람들의 눈길을 사로잡을 수 있게,
가운데는 섬세하고 부드러움으로 여운이 남게,
마지막은 간결함과 깔끔함으로 기억에 남게 만들고 싶다.

마지막 매듭의 간결하고 묵직한 엔딩은
나를 다시 한 번 돌아보는 기회가 되기도 한다.

이렇게 나는
나의 마지막 페이지로
사람들의 머릿속에서 오랫동안 헤엄칠 수 있기를 바란다.

행복한 소식을 전해요

초딩김작가 (김예서)

초딩김작가

×

제 생활에서 느낄 수 있는 감정들을 연필을
잡고 노트에 옮겨 보았습니다.
밥을 먹다가, 책을 보다가 문득 문득
생각이 들 때 마다 저만의 글 노트에 옮겨
담아 보았습니다.

새해맞이

새해 설날 아침,
알록달록 꼬까옷을 차려 입고
큰 집에 모두 모이네

아이들은
용돈 생각에
앞다투어 세배 드리고
가족들은
새해 떡국 먹으러 옹기종기 모여있네

떡국 한 그릇에 나이 한 살
형님이 될 생각에
아이들의 얼굴에 하하하 웃음꽃이 활짝
집집마다 행복한 호호호 웃음꽃이 활짝
매일 매일이 행복한 설날 같기를

잡초

꽃밭에 꽃은 없고,
눈치 없이 잡초만 무성하네
농부들 눈을 피해
꽃들을 피해
슬프게 자라다 보니
어느새 너는 숨어 있구나

농부들에게 골칫거리인 잡초
과연, 넌 골칫거리기만 할까?

쓸데없기만 한 것은
이 세상에 없단다

풀꽃

쨍쨍한 햇빛 아래로
어두운 바위틈 사이로
작은 풀이 살며시 얼굴을 내민다

아침 이슬 한 방울에
목을 축이고
어느새 꽃이 되어
온 세상 밝디 밝은
희망을 안겨준다

번개

우르르 쾅쾅
우르르 쾅쾅
번개 소리
무서워
이불에 쏙

우르르 쾅쾅
우르르 쾅쾅
번개 소리
무서워
옷장 뒤에 쏙

번개가 찾을 때까지
숨바꼭질하듯 쏙쏙 숨어버린다

나무

나무야, 나무야
너는 받는 것이 있니?
나무야 나무야
너는 주는 것이 있니?

나무야, 나무야
주기만 하는 넌
배려심이 참 많구나

나무야, 나무야
나는 늘 받기만 해서
미안하구나

이제라도 널 아끼고 지켜줄게

꽃다발

오색 빛깔
가지가지 많은 꽃을 엮어둔
꽃다발

오색 빛깔로
여러 사람들 얼굴에 활짝
웃음꽃을 피우네

한 송이 한 송이
자기만의 색으로
오색빛깔을 내는 꽃다발

우리들도 그렇다.
나만의 색깔로
온 세상을 물들이고 싶다

바다

바다
맑고 푸른 바다
하늘에도 구름 한 점 없는 날
바다에도 파도 치지 않는 날
고요한 날

내 마음도
고요해지는 날
바닷소리에 흠뻑 빠져들고 싶다

바위나리

휘잉휘잉
철썩철썩
매서운 바람이 분다

하루, 이틀
사흘, 나흘
닷새가 지나도록
매서운 바람이 분다

그칠 줄 모르던
매서운 바람이 지나가고
안개 자욱하던
바닷가에 안개가 걷히고
바위 나리
작은 바위 옆에 살며시 피어났다

민들레 바람

얕은 물가를 여행하던
민들레 씨 잔디밭에 떨어졌다

새싹이 돋고
비를 맞으며
자연의 향기를
선물 받은 민들레 씨

시간이 지나
세월이 지나
하얗게 변한 민들레씨
어느새 꽃이 핀다

바람에 날려 다시 훨훨
목적지 없이 날아 간다

희망 꽃

~~~~~~~~~~~~~~~~~~~~~~~~

~~~~~~~~~~~~~~~~~~~~~~~~

~~~~~~~~~~~~~~~~~~~~~~~~

촉촉한 흙 아래로
파릇한 새싹이 자라
꽃이 피고
새싹이 피운 꽃처럼

우리들도
우리만의 꽃을 피우기 위해
열심히 달리고 있다

행복한 소식을 전해요

띵동! 띵동!
편지요! 택배요!
항상 설레고
신나는 기다림을 안겨주는 소리

소식을 전하는 사람도,
소식을 받는 사람도,
기다림과 설렘이 가득 찬 표정으로
행복한 웃음이 끊이질 않는다

받는 이, 보내는 이 달라도
내용이 달라도
늘 행복과 기쁜 소식이
마음과 마음으로 전달되고 있다

눈송이

사람이 한적한 시골길에
새 하얀눈이
소복소복

한 시간이 지나도
두 시간이 지나도
폴폴

저 높은 산을
뒤덮을 때까지

그리운, 할머니

곱디고운 화장을 한
할머니 사진 앞에서
밤이 깊은 시간에도
검은 한복을 입은
우리 가족 모두
펑펑펑 울어요

뜨거운 눈물이
내 두 뺨을 타고 내려와
투두둑 떨어져요

가족들의 울음을 토닥이듯
할머니의 얼굴은
영원히 우리를
비춰주는 따스한 햇살 같아요

〈2023.8.28 왕 할머니를 기억하며...〉

사랑해요

"사랑해요"
한마디로
마음 속의 꽃 봉우리가
꽃을 활짝 피운다 하네요

그 꽃을 피우게 되면
어떤 모습일까요?

궁금하면 당장 말해보세요

"사.랑.해.요"

꿈꾸는 시작, 빛나는 내일

초등학교 입학준비 가이드

상담하는 우우엄마, 김윤주

상담하는 우우엄마, 김윤주

×

초등학교 입학은 단순한 시작이 아닌, 아이의 꿈과 성장을 향한 여정입니다. 이 책이 처음 학교에 가는 아이와 부모님께 꿈꾸는 시작과 빛나는 내일로 가는 길잡이가 되기를 바랍니다.

프롤로그

사랑하는 내 딸아,

이 책의 페이지를 넘기면서, 우리는 함께 새로운 여정을 시작하려 해. 이 책은 단순한 가이드북이 아니야.

너의 꿈과 성장을 응원하는 엄마의 마음을 담은 편지란다.

네가 처음으로 학교라는 새로운 세계의 문을 열 때, 너는 단지 지식을 배우는 것 이상을 경험하게 될 거야. 학교는 네가 사회의 일원으로 성장하며, 너 자신을 발견하고, 더 넓은 세상과 만나는 곳이란다.

이 책은 너와 나, 우리 모두가 함께 그 여정을 이해하고, 네가 빛나는 졸업장을 손에 들 수 있는 길을 함께 걸어가기 위함이야.

세상은 변하고, 학교의 모습도 많이 달라졌어. 그 속에서 학교 교육의 본질을 찾고, 네가 건강하게 성장할 수 있는 방향을 잡는 것은 부모의 중요한 역할이란다.

이 책에서 너의 여정에 필요한 지혜와 사랑을 담아 너와 함께 성장하는 이야기를 나누고자 해.

나는 엄마로서, 너의 성장을 가장 가까이에서 지켜보며, 네가 처음 학교에 가는 그 순간의 불안과 고민을 너무나 잘 이해해. 그래서 가장 세심하고 진심을 담아 이 책을 통해 너와 모든 부모님들에게 실질적인 가이드와 따뜻한 조언을 전하고 싶어. 우리가 함께 성장할 수 있도록 도와줄 거야.

너의 첫걸음을 세상 속으로 내딛는 이 순간을 함께 축복하며, 이 책을 통해 네가 꿈꾸는 내일을 향해 씩씩하게 당당히 나아가길 바란다.

첫 번째,
꿈꾸는 시작 우리의 여정

사랑하는 내 딸아,

네가 세상의 새로운 문을 열 준비를 하는 지금, 이 편지는 네게 초등학교 입학이라는 중대한 여정을 시작하기 전, 우리가 함께 나눌 따뜻한 대화야. 이 작은 책자가 너의 큰 여정에 작은 등대가 되어 주면 좋겠구나.

우리의 작은 발걸음이 모여 결국은 큰 여정이 된다고 하잖아. 초등학교 입학은 바로 그런 여정의 시작이란다. 학교는 단지 지식을 배우는 곳이 아니야. 네가 사회의 일원으로 성장하고, 친구들과 소통하며, 다양한 경험을 통해 너 자신을 발견하는 곳이지.

학교는 너의 두 번째 집과 같은 곳이 될 거야. 선생님과 친구들이 너를 반겨줄 거고, 너는 매일 새로운 것을 배우며 더 넓은 세상과 마주할 거야. 그리고 네가 학교에서 행복하고 건강하게 성장할 수 있도록 엄마와 아빠는 늘 너의 든든한 지원군이 될 거야.

세상은 빠르게 변하고 있어. 그 변화 속에서 학교도 교육도 계속해서 새로운 모습으로 변화하고 있단다. 그래서 엄마와 아빠는 항상 배움의 자세를 갖고, 네가 필요로 하는 지식과 지혜를 함께 찾아갈 준비가 되어 있어.

처음 맞이하는 초등학교생활은 너뿐만 아니라 엄마와 아빠에게도 설렘과 불안이 함께하는 순간이야. 하지만 우리의 걱정과 기대를 잘 조화시켜서 네가 믿음과 자신감을 가지고 새로운 시작을 맞이할 수 있도록 돕고 싶어.

너의 초등학교생활은 네가 주인공이야. 엄마와 아빠의 응원도 중요하지만, 가장 중요한 것은 너 스스로의 꿈과 기대야.

우리는 네가 스스로의 길을 찾아가며 네가 진정 원하는 것을 발견하고 이루어 나가는 여정을 응원할 거야.

이 새로운 시작을 맞이할 때, 두려움보다는 기대를, 걱정보다는 희망을 안고 한 걸음 한 걸음 나아가길 바란다. 우리 가족은 언제나 네 편이고, 네가 걸어갈 길을 밝게 비추는 빛이 될 거야.

두 번째,
함께 걸어가는 빛나는 내일

사랑하는 내 딸아,

우리의 여정은 끝없는 발견과 배움으로 가득 차 있어. 너와 함께 매 순간을 소중히 하며, 너의 빛나는 내일을 위해 우리가 함께 준비해야 할 것들에 대해 이야기해 보고 싶어.

네가 스스로 일을 해내는 모습을 볼 때마다 가슴이 벅차오른단다. 너의 작은 습관들이 모여 큰 자립심을 만들어 가고, 네가 세상을 향해 당당히 걸어갈 수 있도록 항상 응원하고 네 곁에 있을게.

너와 함께 책을 읽을 때면, 마치 새로운 세계로의 여행을 떠나는 기분이야. 네가 세상을 보는 눈이 넓어지도록, 네가 좋아하는 책을 늘 함께 읽어 줄게.

매일 새로운 단어를 배우는 건, 마치 새로운 친구를 만나는 것과 같아. 언어 능력을 함께 키워보자. 너의 말 한마디가 너의 삶을 더욱 풍요롭게 만들 거야.

네가 한글을 배우면서 소중한 이야기를 나누는 대화 시간은, 내 삶에서 가장 소중한 순간이야. 함께 한글을 읽고 쓰면서, 우리의 마음을 더 가까이 나눠보자.

그리고 가족회의나 대화를 통해 네 생각과 느낌을 자유롭게 표현해 보자. 네가 세상에 내놓는 모든 생각과 감정은 너무나도 소중해. 너의 진솔한 마음이 너를 더욱 빛나게 할 거야.

숫자는 우리 삶의 많은 부분을 이해하는 데 도움을 줘. 숫자와 친해지며, 수학의 세계를 함께 탐험해 보자. 너의 호기심과 끈기가 수학의 멋진 세계로 인도할 거야.

시계를 보고 읽고, 너의 하루를 어떻게 의미 있게 만들 수 있는지 배워보자. 너의 하루하루가 큰 의미를 가질 수 있도록.

식사시간, 젓가락 사용법도 함께 연습해 보자. 멋진 식사 예절은 너의 인성을 보여주는 거울이야. 식사예절을 배우며 너를 더욱 빛나게 해보자.

건강한 몸은 밝은 미래의 기초야. 함께 줄넘기를 하며 건강도 챙기자. 줄넘기 연습은 건강한 몸과 건강한 마음도 같이 지켜줄 거야.

너의 성장을 가장 가까이에서 지켜볼 수 있는 우리가 언제나 너의 가장 큰 응원군이 될 거야. 너와 함께 이 모든 것을 준비하고 경험하는 것을 정말 기대해.

세 번째,
너의 미래를 향한 준비

사랑하는 내 딸아,

우리의 여정의 마지막 페이지를 넘기며, 너의 미래를 향한 마지막 당부의 말을 전하고 싶어. 너의 초등학교 입학은 단순히 새로운 학교생활의 시작이 아니야.

그것은 네가 세상과 만나, 너 자신을 발견하고, 네 꿈을 향해 한 걸음 한 걸음 나아가는 여정의 시작이란다.

네 인생에 새로운 장을 여는 것과 같아. 너의 새로운 학교, 새로운 친구들, 새로운 선생님과의 첫 만남, 그 모든 것들이 너에게 소중한 추억이 될 거야.

우선 새로운 학교의 주변을 탐방해 보자. 매일 다니게 될 학교의 모든 곳이 너에게 기대되고 친숙해질 수 있도록 말이야.

너는 우리 가족에게는 가장 특별하고 사랑스러운 존재야. 하지만 너의 세계는 이제 더 넓어질 거야. 새로운 친구들과 선생님들, 그리고 끊임없이 새로운 경험들이 너를 기다리고 있단다.

그리고 너만의 취미와 특기를 함께 발견하고 키워보자. 음악, 미술, 스포츠, 과학, 방송댄스, 종이접기 등 어느 것이든 너의 마음이 끌리는 것을 찾아보자. 네가 진정으로 즐기는 것을 찾는 여정은 너의 삶을 더욱 여유롭게 신나게 할 거야.

요즘 인기 있는 친구는 긍정적이고 친화적인 아이, 활발하고 재미있는 아이, 창의적이고 다양한 관심사를 가진 아이, 그리고 다른 사람의 의견을 존중하고 친구를 잘 도와주는 아이라는 설문조사를 본 적이 있단다.

우리 인생에서 사랑과 우정은 가장 소중한 선물이란다.

행복한 친구 관계를 위해, 인기 있는 친구가 되기 위해, 어떻게 서로를 존중하고 소통하며 이해할 수 있을지, 친구와 서로의 마음을 나눌 수 있는지, 어떻게 하면 다른 사람과 잘 친해질 수 있는지 함께 생각해 보자.

우선 나를 친구들에게 표현하고 알려주기 위한 너만의 멋진 자기소개를 준비해 보면 어떨까. 첫인상은 중요하니까, 너의 매력을 마음껏 발산해 보는 거야.

네가 항상 웃으며 긍정적인 태도를 가질 때, 세상은 너에게 더 밝게 다가올 거야. 네 안의 밝음이 너를 둘러싼 모든 것을 밝게 만들 거야.

이제 '꿈꾸는 시작, 빛나는 내일'이라는 우리의 여정을 마무리하며, 너의 미래를 향한 마지막 당부의 말을 전하고 싶다.

초등학교 입학은 너뿐만 아니라 우리 가족 모두에게 새로운 시작이야. 너 스스로를 발견하고 네 꿈을 향해 한 걸음 한 걸음 나아갈 수 있는 기회를 갖게 될 거야.

네가 학교라는 새로운 세계에서의 첫걸음을 내딛는 이 순간, 엄마는 너의 가장 큰 응원군이 되고 싶어.

모든 순간에 함께 웃고, 때로는 함께 고민하며, 너의 성장을 지켜볼 거야.

너는 항상 우리 가족에게 무한한 기쁨과 사랑을 가져다주는 특별한 소중한 존재야. 맑고 환한 웃음은 언제나 너를 둘러싼 모든 것을 밝게 만들어. 긍정적인 마음가짐은 너의 삶을 더욱 행복하게 만들 거야.

새로운 친구들과의 관계, 너만의 취미와 특기, 그리고 꿈과 희망에 대해 함께 이야기하며, 네가 네 삶의 주인공으로 당당히 나아가는 모습을 지켜보는 것이 엄마에게는 가장 큰 기쁨이자 행복이란다.

초등학교생활이 너에게 큰 기쁨과 소중한 배움으로 가득 차길 바란다. 너의 모든 순간이 삶에 빛나는 별이 되어 미래를 밝게 비추길 기도할게.

언제나 너를 응원하고, 너의 모든 꿈이 이루어지기를 바라는 마음으로, 영원한 지원자이자 가장 큰 든든한 친구로 옆에 있을게.

네가 학교라는 울타리 안에서 자유롭고, 행복하게 성장하길.

항상 꿈꾸는 내일을 향해 당당히 나아가길 바라며, 언제나 너를 무한히 사랑하는 멋쟁이 사자 가족 엄마가.

〈책만들기파워업 24기〉

함께 할 수 있어서 감사합니다

배성빈

신수연

규연

초딩김작가

김윤주